JN209229

ぼくのふたりめのまご フリンへ

ぞうのエルマー 14
エルマーとゼルダおばさん
2007年1月10日　第1刷発行
2009年5月1日　第2刷発行

文・絵／デビッド・マッキー
訳／きたむら さとし
題字／きたむら さとし
発行者／工藤俊彰
発行所／ＢＬ出版株式会社
〒652-0846 神戸市兵庫区出在家町2-2-20
Tel.078-681-3111　http://www.blg.co.jp/blp
印刷・製本／図書印刷株式会社

NDC933　25P　23×20cm

Printed in Japan　ISBN978-4-7764-0211-4 C8798

ELMER AND AUNT ZELDA by David McKEE

ぞうのエルマー14

エルマーとゼルダおばさん

ぶんとえ デビッド・マッキー　やく きたむらさとし

BL出版

パッチワークのぞう　エルマーが、みんなと　かくれんぼを
しているところへ、いとこのウイルバーが　やってきました。
「エルマー！　わすれちゃったの？　ゼルダおばさんのところへ
あそびにいくって　やくそくしたのに」
「あ、そうだった」エルマーは　あわてて　こたえました。
「すっかり　わすれてた。じゃあ、これから　いこう！」

「ゼルダおばさん、どうして　ひっこしたのかな？」
エルマーが　きくと、ウイルバーは　くびを　ひねって、
「どうしてだろう？　としを　とったからかなあ……」と　こたえました。
「みみも　とおくなったよね」エルマーは　いいました。

しばらくいくと、としをとった　ぞうたちが　いました。
みんな　たのしそうに　わらっています。
「ゼルダおばさんは、きっと　あのなかに　いるよ」エルマーは　いいました。
「そうだ！　ウイルバー、こえのてじなを　やってよ。
『こんにちは！』って　むこうのほうから　きこえるみたいに　さけんでみて」

ウイルバーは　こえをつかって　ふしぎなことが　できました。ぜんぜん
べつのところから　きこえてくるみたいに　こえを　だすことが　できるのです。
ウイルバーは　こえのてじなの　めいじんです。
「みなさーん、こんにちはー！」ウイルバーは　さけびました。でも　そのこえは、
ぞうたちの　うしろのほうから　ひびいてきます。みんな　いっせいに　うしろを
ふりかえりました。だけど、ゼルダおばさんだけは　こっちを　むいたままです。
「あーら、エルマーと　ウイルバーじゃないの！」ゼルダおばさんは　きがつきました。
「ゼルダおばさん、げんきそうだね」エルマーが　いうと、
「げんきゾウ？」ゼルダおばさんが　ふしぎそうに　こたえました。
「もちろんよ。わたしは　いつだって　げんきなゾウよ！」

としをとった　ぞうたちが、エルマーと　ウイルバーのまわりに
あつまってきました。みんな、ウイルバーの　こえのてじなを
もっと　ききたいのです。でも、ゼルダおばさんが　いいました。
「ふたりとも、いらっしゃい。これから　いいところに　あんないしてあげるわ」
「うん、いまいくよ！」エルマーが　こたえました。
「うまくいくよ？」ゼルダおばさんは　くびを　かしげました。
「エルマーったら、おかしなことを　いうんだね。うまくいくよ、だなんて。
ただ　さんぽをしようって　いうだけなのに」

ゼルダおばさんは　あたらしい　ともだちに、エルマーと　ウイルバーを
しょうかいしました。ゼルダおばさんは　ふたりのことが　じまんです。
ちょっと　てれくさかったけれど、エルマーたちは　れいぎただしく
みんなと　はなで　あくしゅをしました。
「エルマーも　ウイルバーも　わたしの　じまんの　おいっこなの」
ゼルダおばさんは　いいました。
「ゼルダおばさんだって、ぼくらの　じまんの　おばさんだよ」
エルマーが　こたえると、
「のどじまんの　おばさん？」と　ゼルダおばさんは　わらいました。
「エルマーったら！　ええ、わたしは　うたも　じょうずだわ」

おかのふもとに　くると、ゼルダおばさんは　たちどまりました。
「ほら、あの　おかのうえ、あそこが　このあいだまで　すんでいたところ」と
いいました。「いま　トラが　あるいているあたりよ。でも、さかを　あがるのが
たいへんになったから、ひっこすことに　したの」
そして　トラに　よびかけました。「トラくーん、こんにちはー。わたしねー、
おかの　ふもとに　ひっこしたのよ――」
すると、トラは　こたえました。「ゼルダさーん、いいとこが　みつかって
よかったねー」
「いとこが　みつかったって？」と　ゼルダおばさん。「なんのことかしら。
エルマーと　ウイルバーは　いとこじゃなくって、おいっこなのに」

エルマーたちは、たきのところに　やってきました。
「そうかあ、ゼルダおばさんは、さかを　あがるのが　つらくなったから
ひっこしたんだね」エルマーは　いいました。
「ええ、それから　ちょっと　さびしくなったから」と、ゼルダおばさん。
「でも、いまは　たくさん　ともだちが　いるわ。みんなと
いろんなところに　さんぽするのよ。いま　あなたたちと　こうして
あるいているみたいにね。それはそうと、たきのおとが　うるさくって、
ちっとも　こえが　きこえないわねえ」

「このへんで　ひとやすみ　しましょう」と　ゼルダおばさんは　いいました。
「とっても　いいところでしょ。ときどき　みんなと　ここに　すわって、
むかしのことを　はなすのよ。わかいころの　たのしかったことをね。
あなたたちだって、いつか　きっと　そうするわ」
「ぼくたちも　ゼルダおばさんと　いっしょにいると　たのしいよ」と
エルマーが　いうと、
「いっしょにいると、たのもしい ですって？」ゼルダおばさんは　むねを
たたいて　こたえました。「もちろんよ、たよりにしてね！」

またすこし　いくと、いけが　ありました。
エルマーたちは　みずに　うつる　かげを　ながめました。
「みてみて！」と　ウイルバーが　いいました。
「ぼくたち　あんまり　にていないよね」
「だけど、ほかの　ぞうたちと　くらべれば、ぼくらは　きっと
にたものどうしだ」と　エルマー。
「そりゃ　そうよ、しんせきですもの。かぞくみたいなものよ」
ゼルダおばさんは　そういって　わらいました。

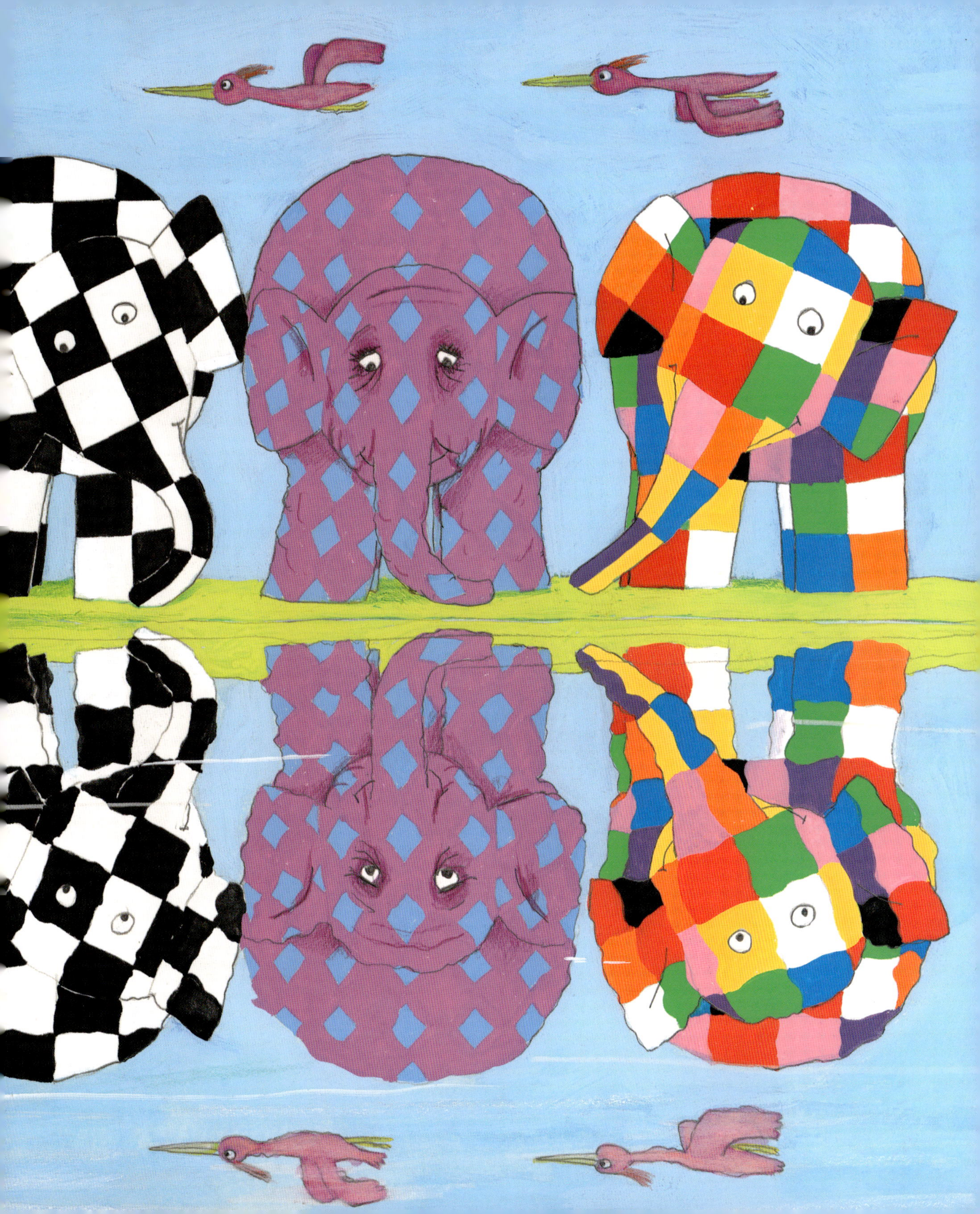

ゼルダおばさんの　ともだちの　いるところへ　もどると、ウイルバーは
もういちど　こえのてじなを　やって、みんなを　よろこばせました。
さて　そろそろ、エルマーも　ウイルバーも　いえにかえる　じかんです。
「じゃあ、ゼルダおばさん、さようなら。また　くるからね」エルマーが　いいました。
すると、「また　ふるからって？」と　ゼルダおばさんは　そらを　みあげました。
「そうかい。それじゃあ、あめが　ふりだすまえに　おかえり。
ふたりとも、きをつけてね」

「あっ！　エルマー、みっけ！」いえに　もどると、ぞうたちが　こえを　そろえて
いいました。「エルマーの　かちだ！　でも　いったい　どこに　かくれていたのさ？
ずっと　さがしていたのに、ぜんぜん　みつからなかった」
「かくれてたって？」エルマーは　つぶやきました。
そうです、エルマーは　かくれんぼの　とちゅうだったのでした。
「じつは、いいところに　かくれてたんだ」エルマーは　わらいました。
そう、そこは　とっても　いいところです。
「また　こんど　いってみよう」と　エルマーは　つぶやきました。